# Junie B. Jones

## La fête de
## Jim-la-peste

# Junie B. Jones

## La fête de
## Jim-la-peste

Barbara Park
Illustrations de Denise Brunkus

Traduction d'Isabelle Allard

Éditions
SCHOLASTIC

Catalogage avant publication de Bibliothèque et Archives Canada

Park, Barbara
La fête de Jim-la-peste / Barbara Park;
illustrations de Denise Brunkus;
texte français d'Isabelle Allard.

(Junie B. Jones)
Traduction de : Junie B. Jones and that Meanie Jim's Birthday.
Pour les 7-10 ans.
ISBN 0-439-94159-8

I. Brunkus, Denise  II. Allard, Isabelle  III. Titre.
IV. Collection : Park, Barbara  Junie B. Jones.

PZ23.P363Fe 2006      j813'.54      C2006-902012-4

Édition publiée par les Éditions Scholastic,
604, rue King Ouest, Toronto (Ontario)  M5V 1E1.

5  4  3  2  1        Imprimé au Canada        06  07  08  09

# Table des matières

# 1/
## Du lait de nez

Je m'appelle Junie B. Jones. Le B, c'est la première lettre de Béatrice. Je n'aime pas ce prénom-là, mais le B tout seul, j'aime bien ça!

Le B, c'est ma lettre préférée. C'est aussi la première lettre du mot « bon ». Bon comme des bonbons, du gâteau...

On en a justement mangé, du bon gâteau, à l'école aujourd'hui.

C'est parce que Paulie Allen Puffer a eu six ans. Sa maman a apporté du gâteau au

chocolat et de la crème glacée au chocolat
dans la classe numéro neuf.

Sa maman est folle du chocolat, je crois.

La fête était très amusante.

Sauf que Paulie Allen Puffer s'est énervé.
Il a mis du gâteau sur sa tête. Puis il a
tellement ri que du lait a coulé de son nez.

— Regarde! Du lait de nez! ai-je dit à ma
plus meilleure amie Lucille.

Lucille est très dédaigneuse.

— Beurk! a-t-elle dit. Je ne veux pas voir
ça! Ça me donne mal au cœur. Je ne peux
pas manger le reste de mon gâteau.

— Je ne peux plus manger, moi non plus,
ai-je dit. Je vais aller jeter nos gâteaux dans
la poubelle.

J'ai pris nos deux assiettes et je me suis
dépêchée d'aller vers la poubelle.

J'ai bien regardé autour de moi. Puis je
me suis cachée très vite derrière la poubelle.

Et j'ai mis les deux gâteaux dans ma bouche d'un seul coup.

Je me suis frotté le ventre de plaisir.

— Maintenant, j'ai besoin de boire un peu de lait pour faire descendre le gâteau, ai-je dit.

Il y avait justement un verre de lait sur la table. Comme ça, tout seul.

Je l'ai pris et je l'ai bu d'un seul coup.

— Miam! Ça fait du bien!

Soudain, j'ai entendu une voix.

— Junie B. Jones! Pourquoi n'es-tu pas à ta place?

C'était mon enseignante. Elle s'appelle Madame. Elle a aussi un autre nom, mais j'aime bien dire Madame tout court.

Madame a des yeux de *lynske*.

— Qu'est-ce que tu fais là? m'a-t-elle demandé.

— Je partage le gâteau et le lait des amis,

ai-je expliqué. Sauf qu'ils ne sont pas là en ce moment.

Madame a levé les yeux très haut vers le plafond.

Je lui ai fait un gentil sourire.

— Vous savez quoi? Quand ce sera ma fête, j'apporterai aussi du gâteau et du lait, ai-je dit. En plus, j'apporterai peut-être un ragoût de fèves et de saucisses. Parce que ça ferait changement, je trouve.

Puis je suis allée en gambadant vers la mère de Paulie Allen Puffer.

— Très bon, votre gâteau, madame!

Elle et moi, on s'est tapé dans la main. Sauf qu'elle n'a pas vraiment levé la main. Alors, en fait, je lui ai juste tapé le bras.

Après, je suis revenue en gambadant à ma place.

Lucille était en train de finir sa crème glacée au chocolat.

Elle avait une moustache de chocolat.

Je l'ai regardée d'un air sévère.

— Lucille, je suis très surprise, ai-je dit. Tu ne manges pas ta crème glacée comme une petite fille bien élevée. Je vais te montrer comment faire.

J'ai plongé ma cuillère bien vite dans la crème glacée de Lucille.

— Tu vois? Tu vois comment je prends des petites, petites bouchées?

Juste à ce moment-là, un petit, petit morceau de crème glacée a glissé de ma cuillère... et est tombé sur les genoux de Lucille.

Elle s'est levée d'un bond.

— OH NON! a-t-elle crié. REGARDE CE QUE TU AS FAIT. TU AS RENVERSÉ DE LA CRÈME GLACÉE SUR MA ROBE TOUTE NEUVE! MA GRAND-MAMAN VIENT JUSTE DE ME L'ACHETER!

# ELLE A COÛTÉ 99 $, PLUS LA TAXE!

Madame est venue à ma table. Elle avait une éponge mouillée pour nettoyer la robe de Lucille.

— Non! Ne faites pas ça! a dit Lucille. Il ne faut pas mettre d'eau sur ma robe. Elle est en satin. Il faut l'apporter chez le nettoyeur!

Madame m'a regardée d'un air fâché.

J'ai avalé ma salive.

— Comment j'aurais pu le savoir? ai-je dit d'une petite voix.

Puis j'ai posé ma tête sur la table. Je me suis caché le visage dans mes bras. Ça s'appelle se tenir tranquille.

Et se tenir tranquille, c'est ce qu'on fait quand on ne veut pas que les choses aillent encore plus mal.

# 2/ Une stupide de fête

Après la fête, j'ai pris l'autobus pour rentrer à la maison avec mon autre meilleure amie.

Elle s'appelle Grace.

On s'assoit chacune notre tour à côté de la fenêtre.

C'est plus juste comme ça, je trouve.

Sauf que des fois, on oublie à qui c'est, le tour.

Alors, il faut qu'on règle ça avec nos poings.

Cette fois, c'était le tour de Grace de s'asseoir près de la fenêtre.

— Tu sais quoi? Ça ne me dérange pas si tu t'assois là aujourd'hui, ai-je dit. Parce que je suis de bonne humeur d'avoir mangé tout ce gâteau.

Grace a souri.

— Moi aussi, a-t-elle répondu. Manger du gâteau m'a rendue de bonne humeur.

— Oui, mais je suis plus de bonne humeur que toi, parce que j'ai mangé deux gâteaux. Et toi, tu en as mangé seulement un.

Grace a froncé les sourcils.

— Ce n'est pas grave, Grace, ne sois pas fâchée, lui ai-je dit. Parce que je vais t'inviter chez moi pour ma fête. Et tu pourras manger deux morceaux de gâteau.

— Ah oui? a-t-elle dit.

— Oui! ai-je dit. Et en plus, tu auras un

verre de carton pour toi toute seule, rempli de bonbons M&M.

— Ooooh! a dit Grace. Miam! J'adore les M&M!

— Moi aussi, ai-je dit. J'adore les M&M. Parce que le chocolat ne fond pas sur les doigts. C'est seulement les couleurs qui fondent sur les doigts, c'est tout.

Je lui ai fait un grand sourire.

— Et il y a autre chose, Grace. Quand tu viendras à ma fête, tu auras ton chapeau de fête pour toi toute seule. Et on va jouer à Twister. Et en plus, on va jouer au jeu où il faut crier Bingo! Sauf que j'oublie toujours le nom de ce jeu-là.

Jim-la-peste s'est levé de son siège.

— BINGO! a-t-il crié. Ça s'appelle BINGO! Quelle IDIOTE! Personne ne va vouloir venir à une fête stupide comme la tienne!

Il parlait très fort. Tout le monde pouvait l'entendre.

— Chez moi, les fêtes sont très amusantes, a-t-il dit. L'année passée, la fête s'appelait « Faisons le clown ». Il y avait deux vrais clowns de cirque. Ils ont fait tout plein de ballons en forme d'animaux et aussi des tours de magie.

Je me suis penchée tout près de sa figure.

— Et puis après? ai-je dit. Je n'aime même pas les clowns! Les clowns ne sont pas des gens normaux. En plus, mon papi à moi, Frank Miller, il peut faire des ballons en forme d'animaux. Sauf qu'ils ont tous l'air de chiens saucisses. Mais il s'exerce pour s'améliorer.

Jim-la-peste ne m'écoutait même pas. Il continuait à parler de ses fêtes.

— Cette année, ma fête s'appelle « La ferme de Mathurin ». Un vrai fermier va amener des animaux et installer un petit zoo sur le terrain devant notre maison. Il va y avoir un agneau, une chèvre, un âne et des lapins! Et même un vrai poney vivant! On pourra monter sur son dos!

J'ai mis mes poings sur mes hanches.

— Ah oui? Eh bien, tant pis pour toi, lui ai-je dit. Parce que j'ai vu des choses sur les poneys à la télé. Ils te font tomber de leur dos. Après, ils marchent sur toi jusqu'à ce que tu sois mort! Alors, je ne voudrais même pas aller à ta stupide de fête, même si tu me le demandais des millions et des milliards de fois!

— Parfait! a hurlé Jim. Je suis bien content. Parce que ma fête, c'est samedi prochain. Et demain, j'apporte les invitations pour tous les élèves de la classe numéro neuf! Tous les élèves, sauf toi! Tu es la seule de toute la classe qui n'en aura pas. Tant pis pour toi!

Puis il m'a crié : « HA! » en pleine figure et s'est assis sur son siège.

Moi, je suis restée là, debout, sans bouger.

Parce que les choses ne se passaient pas très bien, je pense.

Je lui ai tapé sur la tête.

— Heu, je voulais te dire... Je ne savais pas que ta fête était samedi. Alors, bonne nouvelle : je crois que je pourrai y aller, finalement.

— Non! a crié le méchant Jim. Tu ne viendras pas! Va-t'en!

Je lui ai encore tapé sur la tête.

— Oui, mais ce que j'ai dit sur les poneys, c'était juste pour rire. Ils ne vont probablement pas marcher sur toi.

— Je m'en fiche! Arrête de m'embêter! a-t-il crié.

Je me suis levée sur le bout de mes orteils et j'ai regardé sa tête.

— Tu sais, tes cheveux sont très beaux, aujourd'hui, ai-je dit.

Jim m'a donné une tape.

— Va-t'en, je t'ai dit! a-t-il crié encore. Tu ne viens pas à ma fête. Un point, c'est tout.

Alors j'ai eu une grosse boule dans la gorge. Le genre de grosse boule qu'on a juste avant de pleurer.

Ça faisait mal d'avaler.

Je me suis assise et j'ai caché mon visage dans mon chandail.

— Zut! ai-je dit. Parce que je pense que je me serais bien amusée à sa fête, finalement.

Ma meilleure amie, qui s'appelle Grace, a mis son bras sur mes épaules.

Elle m'a tapoté le dos doucement.

Et elle m'a laissée m'asseoir à côté de la fenêtre.

# 3/ Les grands chevaux

Je suis descendue de l'autobus et j'ai marché jusqu'à la maison, toute dépitée.

Ça, c'est quand tes épaules sont tristes. Et que c'est dur de tenir ta tête droite.

Mamie Miller était dans la chambre du bébé.

Elle nous garde, mon petit frère et moi, l'après-midi.

Mon frère s'appelle Ollie.

Je l'aime beaucoup, beaucoup. Sauf que j'aimerais mieux qu'il vive dans une autre maison que la nôtre.

Mamie Miller le berçait dans la chaise berçante.

J'ai essayé de grimper sur ses genoux, moi aussi. Mais mamie m'a dit de descendre.

— Oui, mais j'ai vraiment besoin de me faire bercer, ai-je expliqué. Parce qu'un méchant garçon de l'école a sa fête samedi. Et il invite tout le monde dans la classe numéro neuf. Sauf moi. Je suis la seule qui n'est pas invitée.

Mamie Miller m'a regardée avec des yeux tristes.

— Les enfants peuvent être tellement cruels, a-t-elle dit. Attends que le bébé soit endormi. Après, on va parler, toutes les deux. D'accord?

Alors, c'est pour ça que j'ai croisé les bras.

Et que j'ai tapé du pied sur le plancher.

Et que j'ai attendu, attendu et attendu
que le bébé s'endorme. Sauf que ses yeux
n'arrêtaient pas de rester grands ouverts.

— Tiens ses yeux fermés avec tes doigts,
mamie, ai-je dit.

— Grands dieux, non!

Elle a continué de le bercer.

Finalement, j'étais fatiguée d'attendre.
Je suis allée dans ma chambre et je me suis
cachée sous les couvertures.

Je me suis glissée au fond du lit, sous les
draps.

Tout au fond, on peut dire plein de choses méchantes. Personne ne peut entendre.

— Voilà toutes les choses que je déteste, ai-je dit. Premièrement, je déteste Jim-la-peste. Et je déteste les clowns. Et la ferme de Mathurin. En plus, je déteste les lapins. Et les ânes. Et les poneys. Et devine quoi d'autre : on n'avait pas vraiment besoin d'un bébé dans cette maison. Sauf que personne ne m'a demandé mon avis.

J'ai entendu frapper à ma porte.

— Junie B.? C'est mamie, ma chérie. Ollie s'est endormi.

Elle est entrée doucement et a soulevé les couvertures.

— J'ai appelé ta mère pour lui raconter ce qui s'était passé à l'école.

J'ai regardé mamie.

— Est-ce qu'elle va tout arranger? ai-je

demandé. Est-ce que je peux aller à la fête, maintenant?

Mamie Miller m'a tendu les bras. Elle m'a tirée de sous les couvertures.

— Ta mère va t'en parler quand elle rentrera, a-t-elle dit. En attendant, toi et moi, on va s'amuser. Lisons un livre, tu veux bien? Quelle sorte d'histoire aimerais-tu que je te raconte?

J'ai réfléchi très fort.

— Je voudrais une histoire qui parle d'une petite fille qui n'est pas invitée à la fête d'un garçon très méchant. Alors, elle va sans bruit à la maison du garçon et elle laisse sortir un poney sauvage de la grange. Puis le poney écrase le garçon comme une crêpe toute plâte. Et les enfants mettent du sirop d'érable sur le garçon et ils le mangent pour le déjeuner.

Mamie Miller a eu l'air un peu malade.

— Tu devrais arrêter de t'inquiéter au sujet de cette fête, Junie B. Ce garçon essaie seulement de te faire monter sur tes grands chevaux.

Je l'ai regardée avec des yeux surpris.

— Mes grands chevaux? Quels chevaux, mamie? Est-ce que j'ai des chevaux? Est-ce que c'est une surprise? Est-ce que tu les gardes en secret dans ta maison?

Je me suis levée d'un bond en la tirant par la main.

— Allons les chercher! Tu veux bien, mamie? Allons chercher mes chevaux tout de suite!

Tout à coup, j'ai eu une très bonne idée!

— HÉ! JE VIENS DE PENSER À QUELQUE CHOSE, MAMIE! TOI ET MOI, ON VA AMENER LES CHEVAUX DANS MA MAISON. ET APRÈS, JE VAIS AVOIR MA FÊTE À MOI SAMEDI! CE

SERA LA FÊTE DES CHEVAUX! ET TOUT
LE MONDE DE LA CLASSE NUMÉRO
NEUF VA VENIR À MA FÊTE AU LIEU
D'ALLER À CELLE DE JIM-LA-PESTE!

Tout à coup, la porte de la maison s'est
ouverte. C'était maman!

J'ai couru vers elle à toute vitesse.

— Maman! Maman! Tu sais quoi? Moi et
mamie, on va aller chercher mes chevaux! Et
je vais organiser ma fête à moi, samedi, pour
mon anniversaire! Et je vais inviter tous les
élèves de la classe numéro neuf. Sauf Jim-
la-peste, que je déteste! Il est le seul qui
ne viendra pas. Tant pis pour lui!

Mamie Miller s'est faufilée dehors en
enfilant sa veste.

J'ai tiré le bras de maman.

— Viens, maman, viens! Il faut aller au
magasin acheter des cartes d'invitation! Et
aussi des fèves et des saucisses!

Maman ne venait pas.

Elle s'est assise sur le canapé. Et elle m'a caressé les cheveux.

— Écoute-moi, Junie B., a-t-elle dit. Je sais que Jim t'a fait de la peine, aujourd'hui. Mais tu ne peux pas faire une fête samedi. Ton anniversaire est en juin, tu le sais bien! Et juin n'arrivera pas avant des mois.

— Je le sais que juin, c'est dans des mois, ai-je dit. C'est pour ça que je veux faire ma fête avant. Parce que, dans des mois, il sera trop tard.

Maman m'a prise sur ses genoux.

— Je crois que tu ne comprends pas, ma chérie. Tu ne peux pas changer le jour de ta naissance. Personne ne peut faire ça. C'est impossible.

Je lui ai dit, tout bas :

— Oui, mais je vais te dire un petit secret : personne de la classe numéro neuf ne sait quel est le jour de ma fête. Alors, je crois que ça marcherait si on le changeait...

Maman m'a fait un petit sourire. Et elle m'a *éroubiffé* les cheveux.

— Désolée, ma cocotte, oublie ça, a-t-elle dit.

— Non, je n'oublie pas ça! ai-je crié. Parce que je dois absolument avoir ma fête samedi! Sinon, je serai la seule qui n'ira pas à la fête de Jim-la-peste! Et ça, c'est l'histoire la plus triste que j'aie jamais entendue!

Mes yeux sont devenus un peu mouillés.

Maman m'a essuyé le visage avec un mouchoir. Elle m'a serrée très, très fort.

Et elle a dit :

— Je suis désolée.

Encore une mauvaise nouvelle.

Mamie vient d'appeler...

Il n'y a pas de grands chevaux.

# 4/ Je déménage

Le lendemain matin, je suis restée couchée.

Je ne me suis même pas levée quand maman a crié :

— Junie B.! Viens déjeuner!

Elle est venue dans ma chambre.

— M'as-tu entendue, Junie B.? C'est l'heure de déjeuner.

Je l'ai regardée.

— Oui, mais je n'ai même pas faim. En plus, je déménage aujourd'hui.

Maman a souri.

Elle s'est assise sur mon lit.

— Ah bon, tu déménages? a-t-elle demandé. Et où vas-tu aller, exactement?

J'ai levé mes épaules, puis je les ai descendues.

— Quelque part, ai-je répondu.

— Où ça, quelque part? a-t-elle demandé.

— Quelque part qui n'est pas ici, ai-je dit.

Maman m'a serrée dans ses bras.

— Est-ce que c'est à cause de la fête de Jim? Tu as encore peur de ne pas avoir d'invitation?

— Non, je n'ai pas peur, ai-je dit. Parce que je ne vais même plus à cette école, maintenant. Parce que je déménage aujourd'hui.

Maman a secoué la tête. Puis elle est sortie. Papa et elle ont chuchoté dans le couloir.

Ensuite, papa est entré dans ma chambre.

Il m'a portée sur son dos jusqu'à la cuisine.

Maman m'a préparé du gruau comme je l'aime.

Et elle m'a laissée ajouter autant de cassonade que je voulais.

Elle s'est assise à côté de moi.

— Tu sais, Junie B., Jim fait ça seulement pour te faire de la peine, a-t-elle dit. Il veut te provoquer, c'est tout.

— C'est sûr, a dit papa. Et quand quelqu'un essaie de nous blesser, il n'y a qu'une façon de réagir.

— Tu dois agir comme si ça ne te dérangeait pas, a dit maman. Tu dois faire semblant de ne pas vouloir aller à la fête de Jim. Comme ça, ce ne sera plus amusant pour lui.

Papa m'a fait un clin d'œil.

— Tu peux faire semblant, non? Pour faire semblant, tu es la meilleure du monde entier!

Mon visage est devenu tout content. Les mots que papa avait dits venaient de me donner une très bonne idée!

— Hé! Je sais où je vais déménager! Ça

s'appelle « Le monde est petit! » C'est à Disneyland! Tu te souviens, papa? L'endroit où toutes les marionnettes n'arrêtaient pas de chanter la même chanson?

J'ai souri.

— Ce serait un bon endroit pour moi, tu ne crois pas?

Papa m'a regardée très longtemps.

Puis il a mis sa tête sur la table. Et il a commencé à frapper le bord.

Maman l'a relevé et l'a entraîné dans le couloir.

Ils ont encore chuchoté.

Après un moment, maman m'a appelée de sa chambre.

— Junie B.? Prends le téléphone, s'il te plaît. C'est papi. Il veut te parler une minute.

J'ai pris le téléphone.

— Allô!

— Allô, ma petite, a dit papi Miller. Qu'est-ce que tu fais de bon, ce matin?

— Je déménage aujourd'hui, ai-je répondu.

Ça n'a pas eu l'air de lui faire plaisir.

— Tu déménages? Oh non! Tu ne peux pas faire ça! Si tu déménages, tu ne pourras pas venir chez moi samedi!

J'ai froncé les sourcils. Parce que c'était un peu bizarre, c'est pour ça.

— Tu veux que je vienne à ta maison? Et pourquoi samedi?

— Parce que samedi, c'est le jour où je fais des travaux dans la maison, tu le sais bien! Tu es toujours ma petite assistante, n'est-ce pas?

J'ai réfléchi un moment.

— Oui, ai-je dit.

C'est vrai que des fois, j'aide papi à réparer des choses.

— Tu veux que je t'aide à réparer des choses? C'est pour ça que tu m'appelles?

— C'est pour ça, a dit papi. Je ne peux pas réparer des choses sans mon assistante, n'est-ce pas? J'ai besoin de toi pour porter la ceinture à outils!

J'ai eu un sourire tout fier. Parce que la ceinture à outils de papi, c'est la plus meilleure chose que j'adore. Il y a des milliards d'outils accrochés dessus. Elle est lourde et fait deux fois le tour de mon ventre. Et je ne tombe même pas!

Papi Miller a baissé sa voix tout bas.

— Et tu ne sais pas encore le meilleur, a-t-il chuchoté. Devine ce que je dois réparer?

— Quoi? ai-je demandé en chuchotant moi aussi.

Papi m'a dit d'attendre une minute. Parce qu'il voulait fermer la porte pour que mamie n'entende pas.

— Si mamie entend, elle voudra être mon assistante à ta place, a-t-il dit.

J'ai attendu avec beaucoup de patience.

— Tu es prête?

— Je suis prête, ai-je répondu.

— Bon. Je vais réparer la toilette du deuxième étage, a-t-il dit.

Ma bouche s'est ouverte complètement. Parce que réparer la toilette, c'était mon rêve!

— Vas-tu enlever le couvercle du réservoir, papi? Et vas-tu tirer la chasse d'eau plusieurs fois? Et regarder toute l'eau s'en aller? ai-je demandé.

— Mais oui! Bien sûr! Ça fait partie du plaisir de réparer la toilette, non?

— Oui, ai-je dit, toute contente. En plus, j'aime bien la grosse boule qui flotte sur le dessus.

— Moi aussi, j'adore la grosse boule, a

dit papi. Donc, je peux compter sur toi? Nous avons rendez-vous samedi, toi et moi?

J'ai réfléchi encore un peu.

— Oui, mais je crois que tu oublies quelque chose, papi.

— Quoi? Qu'est-ce que j'oublie, ma petite?

J'ai levé les sourcils en entendant ce gros bêta.

— Voyons! Tu oublies que je déménage aujourd'hui.

# 5/ Bébé-lala William

Le matin, mamie et papi Miller me gardent chacun leur tour. Avant le dîner, ils m'habillent pour aller à la maternelle.

Sauf aujourd'hui. Maman est revenue du travail et c'est elle qui m'a habillée.

Elle a dit qu'elle allait me conduire à l'école.

— Comme ça, tu ne verras pas Jim dans l'autobus, a-t-elle dit.

J'ai trouvé ça très gentil.

Elle a sorti mes vêtements pour l'école.

C'était ma robe avec des grenouilles.

— Oui, mais tu sais quoi? Je ne porte pas de vêtements d'école aujourd'hui. Parce que je déménage. Il faut que je porte des vêtements de déménageur.

Maman a continué d'essayer de me mettre ma robe.

C'est pour ça que j'ai mis mes jambes et mes bras tout raides. Pour que ce soit très difficile de me faire entrer dans mes vêtements.

Maman et moi, on s'est battues un petit peu. Puis elle m'a renversée sur la tête. Et elle m'a enfilé mes collants.

— Ne bouge pas, Junie B., a-t-elle dit. Tu vas à l'école, point final. Reculer devant les problèmes ne règle jamais rien.

— Oui, mais je ne recule pas, ai-je dit. Je ne vais même pas marcher. Les déménageurs vont m'emmener dans leur camion. Je vais

les appeler.

Maman a souri. Elle a essayé de me prendre dans ses bras. Mais j'ai continué à être toute raide.

Je suis restée toute raide dans l'auto et pendant tout le chemin jusqu'à l'école.

Maman s'est garée dans le stationnement. Elle m'a tirée hors de l'auto. Elle m'a transportée toute raide jusqu'à la cour d'école. Et elle m'a mise debout sur le gazon.

— Tout va bien aller, tu vas voir, m'a-t-elle dit. Souviens-toi de ce qu'on t'a dit, papa et moi. Si quelqu'un parle de la fête, fais comme si ça ne te dérangeait pas.

Elle m'a donné un bisou sur ma tête toute raide.

J'ai entendu des voix crier.

— JUNIE B.! HÉ, JUNIE B.! REGARDE! REGARDE CE QU'ON A REÇU!

Je me suis retournée. C'étaient mes deux

meilleures amies, Lucille et Grace. Elles
couraient vers moi.

— Regarde, a dit Lucille. Regarde ce que
Jim nous a donné! Une invitation pour sa
fête samedi!

— C'était vrai ce qu'il disait! a ajouté
Grace. Il va vraiment y avoir un zoo!

J'ai vite bouché mes oreilles avec mes
mains.

Puis j'ai fermé les yeux. Et j'ai chanté une
chanson très, très fort.

La chanson s'appelait *Je ne peux pas vous
entendre, vous ne me dérangez même pas!*

J'ai chanté le plus fort que je pouvais.

— JE NE PEUX PAAAAS VOUS
ENTENDRE! JE NE PEUX PAAAAS VOUS
ENTENDRE! VOUS NE ME DÉRANGEZ
MÊME PAAAAS!

J'ai continué de chanter longtemps,
longtemps, puis elles sont parties.

Elles ont tourné un doigt sur le côté de leur tête pour dire que j'étais folle.

Après, je suis restée assise sur le gazon toute seule. J'ai regardé la cour d'école.

J'ai vu que beaucoup d'enfants avaient une invitation.

— Zut! ai-je chuchoté. Zut de zut de zut.

Tout à coup, j'ai vu Jim-la-peste.

Il donnait une invitation à un garçon qui s'appelle Bébé-lala William.

Bébé-lala William est le garçon le plus peureux de la classe numéro neuf.

Il aurait même peur d'une petite puce, je pense.

Alors j'ai relevé la tête. Parce que je venais d'avoir une autre très bonne idée, c'est pour ça!

Mon idée, c'était de prendre l'invitation de William. Parce qu'il n'allait même pas essayer de m'attraper, je pense! Et j'aurais mon invitation à moi! Et William pourrait en avoir une autre de Jim! Comme ça, tout le monde irait à la fête. Même moi!

Je me suis levée.

J'ai cligné des yeux en regardant Bébé-lala William. Et j'ai commencé à courir vers lui très lentement.

Je me suis mise à courir plus vite. De plus en plus vite. Finalement, je courais aussi vite qu'une abeille qui vole dans les airs.

J'ai bourdonné en courant autour de William. Bzzz! Bzzz! Bzzz!

Ses yeux ne pouvaient même pas me suivre tellement j'allais vite.

Puis je lui ai fait un gros « Bzzz » dans la figure et j'ai pris son invitation de ses mains.

J'ai couru à toute vitesse jusqu'à la balançoire.

Et vous savez quoi?

William ne m'a même pas suivie!

Une autre bonne nouvelle : son nom
n'était même pas écrit sur l'invitation! Alors,
ça veut dire qu'elle était pour n'importe qui,
je pense!

— Mais maintenant, elle est à moi, ai-je
dit. Parce que je vais mettre mon nom dessus
quand je serai dans la classe numéro neuf.

Ce sera mon invitation à moi!

La cloche a sonné.

J'ai mis mon invitation dans le fond de ma poche. Et j'ai gambadé, toute joyeuse, jusqu'à ma classe.

Madame était debout à la porte de la classe numéro neuf.

William était à côté d'elle.

Son nez coulait beaucoup.

J'ai essayé de passer en gambadant à côté d'eux. Mais Madame m'a attrapée par ma robe à grenouilles.

Elle m'a tirée en arrière.

— Je ne pense pas que c'est bon pour ma robe de se faire tirer comme ça, ai-je dit.

Madame m'a fait des yeux sévères.

— Junie B., as-tu pris quelque chose qui appartenait à William?

— Non, ai-je dit. Parce que son nom n'était même pas dessus. Alors, ça veut dire que c'est pour n'importe qui, je pense.

Madame a tapé du pied d'un air fâché.

— Est-ce que William tenait une invitation, Junie B.? La lui as-tu arrachée des mains? Et t'es-tu sauvée en courant? a-t-elle demandé encore.

Je lui ai fait un sourire très mignon.

— Je jouais à l'abeille, ai-je dit.

Madame m'a tendu la main.

— Tu peux me la donner, s'il te plaît? a-t-elle demandé. Tu peux me donner l'invitation que tu as prise à William?

Je me suis balancée d'avant en arrière. Je ne voulais pas lui donner l'invitation, c'est pour ça.

— Je crois qu'elle est peut-être tombée de ma poche, ai-je dit.

Madame s'est penchée vers moi. Elle s'est penchée tout près de ma figure.

— Je veux cette invitation, a-t-elle dit. Tout de suite.

J'ai avalé ma salive.

Puis j'ai plongé ma main au fond de ma poche.

— Bonne nouvelle, ai-je dit d'une voix nerveuse. Je l'ai retrouvée.

— Donne-la à William, a dit Madame.

Bébé-lala William a tendu la main.

Je lui ai lancé l'invitation.

— Tiens, Monsieur-le-panier-percé-puant! ai-je dit. La voilà, ton invitation puante!

Les yeux de Madame se sont agrandis.

— Junie B. Jones! Ça suffit! Va t'asseoir. Je ne veux pas entendre un mot de plus. Tu m'as comprise, mademoiselle? Pas un mot de plus!

C'est pour ça que j'ai marché, toute dépitée, jusqu'à ma chaise. Et que j'ai mis ma tête sur la table. Vous savez pourquoi? C'était encore le temps de me tenir tranquille, c'est pour ça.

# 6/ Les jumelles

Madame a fait l'appel. L'appel, c'est quand on dit : « Je suis là. » Sauf si on n'est pas là. Alors on ne dit rien.

Après, on s'est assis et Madame nous a donné nos cahiers d'exercices.

Elle nous a dit à quelle page les ouvrir.

Il fallait dessiner toutes sortes de formes. Des formes comme des cercles, des carrés et des *triangues*.

Je suis très bonne pour ce travail.

Mais je n'étais pas capable de me

concentrer. Parce que je n'arrêtais pas de rêvasser, à cause de la fête.

Rêvasser, c'est comme quand on rêve la nuit.

Sauf que ce n'est pas la nuit.

Et qu'on ne dort pas.

Et qu'on ne rêve pas vraiment.

Je n'arrêtais pas de penser que tout le monde allait à cette fête. Sauf moi.

J'étais la seule.

De toute la classe numéro neuf.

« J'aimerais que Lucille et Grace n'y aillent pas non plus, ai-je pensé dans ma tête. Parce que ça serait plus gentil de leur part. »

Après un moment, j'ai tapé sur le bras de Lucille.

— Tu es ma plus meilleure amie, lui ai-je dit.

Lucille m'a souri.

— Toi aussi, tu es ma plus meilleure amie, a-t-elle dit.

J'ai touché sa nouvelle robe.

— Je te trouve très belle, aujourd'hui, lui ai-je dit.

Lucille a fait bouffer sa robe.

— Merci. Toi aussi, tu es très belle.

J'ai touché ses ongles avec du vernis dessus.

— J'aimerais que toi et moi, on soit jumelles, ai-je dit.

— Moi aussi, a dit Lucille. J'aimerais que toi et moi, on soit jumelles.

Puis mon visage est devenu tout content.

— Lucille! Je viens de penser à quelque chose. Toi et moi, on pourrait faire semblant d'être des jumelles! Et on pourrait tout faire pareil! Alors, samedi, tu viendrais à ma maison. Et je mettrais du vernis sur mes ongles, comme toi! Tu resterais à ma maison

49

au lieu d'aller à cette fête, comme moi!

Lucille ne répondait rien.

Je lui ai donné une petite tape.

— Pourquoi tu ne dis rien, jumelle? ai-je demandé. Pourquoi tu ne réponds pas?

— Parce que je veux aller à la fête, moi! a dit Lucille.

J'ai soupiré très fort.

— Oui, Lucille. Je sais que tu veux aller à la fête. Mais maintenant, toi et moi, on est des jumelles. Et les jumelles doivent tout faire *et-zaquetement* pareil. Alors, si je ne vais pas à la fête, tu ne peux pas y aller non plus. Parce que c'est le règlement avec les jumeaux.

— Non, ce n'est pas vrai, dit Lucille. Mes cousins sont jumeaux. Ils sont un garçon et une fille. Et ils ne font rien du tout pareil.

J'ai sauté de ma chaise.

— Oui, mais ce n'est pas le genre de

jumelle que je veux être, moi, madame! ai-je crié.

Madame a fait claquer ses doigts très fort.

— Assieds-toi! a-t-elle crié.

Juste à ce moment-là, Jim-la-peste s'est retourné sur sa chaise. Et il a ri d'une façon très méchante. Parce qu'il voyait que ça allait mal pour moi.

— Tourne ta grosse tête! ai-je dit.

Mais il ne l'a pas tournée. C'est pour ça que j'ai dû courir jusqu'à sa table. Et que j'ai tourné sa grosse tête pour lui.

— JUNIE B. JONES! a crié Madame. QU'EST-CE QUE TU FAIS?

— Je tourne sa grosse tête, ai-je répondu.

Madame est venue très vite à côté de nous. Elle m'a prise par le bras. Elle m'a fait sortir dans le couloir. Et elle m'a montré le bureau du directeur.

— Va au bureau! m'a-t-elle dit, très fâchée.

J'ai avalé ma salive.

— Oui, mais il ne faut plus que j'aille au bureau du directeur, ai-je dit. Moi et maman, on en a discuté, et elle a dit de ne

plus me faire envoyer au bureau du directeur.

Le visage de Madame est devenu rouge comme une tomate.

Elle a commencé à compter :

— Un... deux... trois... quatre...

C'est pour ça que je me suis dépêchée de marcher.

Parce qu'une maîtresse qui compte, ça fait vraiment peur.

# 7/ Mon histoire cette fois-ci, par Junie B. Jones

Le directeur, c'est le patron de l'école.
Il habite dans le bureau.

C'est là où je dois aller quand je suis indisciplinée.

Indisciplinée, c'est un mot de l'école pour dire qu'on est tannant.

Il y a une dame qui tape sur un clavier.
Elle n'a pas le droit de sourire.

— Assieds-toi, a-t-elle dit.

Elle m'a montré la chaise bleue.

— Oui, mais je n'aime pas m'asseoir sur

cette chaise, vous vous souvenez? ai-je dit. Parce que c'est là que les enfants méchants s'assoient. Et moi, je ne suis même pas méchante.

J'explique ça à la dame chaque fois que je vais au bureau.

Elle s'est penchée par-dessus le comptoir et m'a regardée avec un visage à faire peur.

— As-sieds-toi, j'ai dit.

Je me suis assise.

Puis j'ai remonté ma robe à grenouilles sur mon visage. Comme ça, personne ne pouvait me voir.

— Baisse ta robe, a dit la dame.

— Oui, mais j'ai le droit de faire ça, ai-je dit. Parce que j'ai des collants. Vous voyez? Ils sont verts avec des petits têtards.

Tout à coup, j'ai entendu la voix du directeur.

— Eh bien, eh bien! Junie B. Jones.

Quelle surprise! a-t-il dit.

Ma bouche s'est ouverte toute grande.

— HÉ! ai-je crié de dessous ma robe. COMMENT AVEZ-VOUS SU QUE C'ÉTAIT MOI? PARCE QUE VOUS NE POUVEZ MÊME PAS VOIR MON VISAGE!

— J'ai deviné, a dit le directeur.

Après, j'ai sorti mon visage. Et je suis entrée avec lui dans son bureau.

J'ai grimpé sur la grosse chaise de bois.

Le directeur avait l'air très fatigué. Il a frotté les côtés de sa tête chauve.

— Bon, je t'écoute. Quelle histoire vas-tu me raconter, cette fois-ci? a-t-il dit.

Je me suis redressée sur la chaise.

— Mon histoire cette fois-ci, par Junie B. Jones. Il était une fois où on ne m'a pas invitée à la fête d'un méchant garçon. Et je suis la seule de toute la classe numéro neuf à ne pas y aller. Alors, c'est pour ça que je déménage aujourd'hui. Sauf que maman m'a amenée à l'école même si j'étais toute raide. Après, j'ai joué à l'abeille. Et Bébé-lala William est un panier percé. Et aussi, Lucille ne veut pas être une bonne jumelle. Et puis Madame m'a crié après. C'est pour ça que j'ai dû tourner la tête de Jim. Et maintenant, je suis assise sur la grosse chaise de bois.

J'ai mis mes mains sur mes genoux.

— La fin, ai-je ajouté.

Le directeur a posé sa tête sur son bureau. Je l'ai regardé.

— Êtes-vous en train de vous tenir tranquille? ai-je chuchoté.

Il a relevé la tête. Puis il a téléphoné à ma mère.

Ils parlent souvent au téléphone, tous les deux.

Cette fois, ils ont parlé de la fête de Jim.

Et du fait que je n'étais pas invitée.

Après avoir raccroché, le directeur m'a regardée d'un air plus gentil.

— Je suppose que nous, les adultes, on pense être les seuls à avoir des ennuis, a-t-il dit. On oublie que les enfants aussi ont des problèmes. N'est-ce pas, Junie B. Jones?

— Oui, ai-je dit. Des fois, on voudrait monter sur des grands chevaux.

Après, lui et moi, on est sortis de son bureau. Il m'a encore fait asseoir sur la chaise bleue.

— Attends-moi là une minute, a-t-il dit. Je dois aller parler à quelqu'un.

— Oui, mais je n'aime pas m'asseoir sur cette chaise, vous vous souvenez? ai-je dit. Parce que c'est là que les enfants méchants s'assoient. Et moi, je ne suis même pas méchante.

Le directeur a réfléchi un moment. Puis

il a fait claquer ses doigts.

— Je crois que j'ai trouvé la solution idéale, a-t-il dit.

Il est allé dans son bureau et est ressorti avec un sac de papier géant.

— Et si on te cachait sous ce sac? a-t-il demandé. Comme ça, personne ne pourrait te voir.

J'ai sauté, tout excitée.

Parce que me cacher, c'est ce que j'aime le plus au monde!

Le directeur m'a fait asseoir sur la chaise.

Il a mis le sac géant sur ma tête.

— HÉ! QUI A FERMÉ LA LUMIÈRE? ai-je crié.

Puis j'ai ri sans pouvoir m'arrêter. Parce que c'était une blague, bien sûr.

J'ai plié les genoux et je les ai cachés sous le sac. J'ai serré mes genoux très fort avec mes bras.

— Maintenant, tout ce que vous voyez,

c'est le bout de mes souliers! ai-je dit, toute contente. C'est la plus idéale des solutions! Comment avez-vous eu cette super idée?

Mais le directeur n'a pas répondu.

Il était probablement retourné dans son bureau, c'est pour ça.

Après, j'ai continué à me cacher dans le sac.

Je me suis cachée très, très longtemps.

Au moins un milliard d'années, je crois.

— Vous savez quoi? C'est plus long qu'une minute! ai-je dit sous le sac.

La dame ne m'a pas répondu.

— Et vous savez quoi aussi? Mes genoux sont tout pliés et tout écrasés là-dessous, ai-je dit. Et ça ne doit pas être bon pour ma circulation.

Puis mes jambes ont commencé à gigoter. Parce que j'avais des fourmis dans les jambes, c'est pour ça!

— HÉ! TOUT LE MONDE EST SOURD, OU QUOI? LAISSEZ-MOI SORTIR TOUT DE SUITE! JE N'EN PEUX PLUS, MOI! ET J'AI DES FOURMIS DANS...

Tout à coup, quelqu'un a enlevé le sac de ma tête.

C'était la dame.

— ... les jambes, ai-je terminé tout bas.

Elle m'a fait entrer dans le bureau du directeur.

Et vous savez quoi?

Jim-la-peste était là!

Il était assis sur la grosse chaise de bois!

Et le directeur le regardait avec des gros yeux.

— Junie B., notre ami Jim a quelque chose à te dire. N'est-ce pas, Jim?

Jim-la-peste n'a rien répondu. Il regardait ses pieds.

Le directeur a tapoté des doigts sur le bureau.

— Nous attendons, Jim... a-t-il dit.

Jim a poussé un gros soupir. Il a dit le mot : « *Scuse.* »

Le directeur a levé ses sourcils.

— Tu t'excuses de quoi, Jim? Dis-le à Junie B.

Jim a regardé ses pieds encore plus.

— Je m'*escuse* de ne pas t'avoir donné d'invitation pour ma fête, a-t-il dit d'un air bougon.

— Ta mère t'avait bien dit de lui en donner une, n'est-ce pas, Jim? a dit le directeur. Tu devais en donner une à chaque élève de ta classe. Mais comme tu étais fâché contre Junie B., tu as décidé de ne pas lui en donner. C'est bien ça?

Jim-la-peste a levé ses épaules, puis il les a descendues.

— Mouais, a-t-il dit d'une petite voix.

Le directeur a croisé les bras.

— Alors, que vas-tu faire, maintenant?

Jim a attendu et attendu.

Puis, tout à coup, il s'est levé de la chaise.

Et il m'a donné une invitation.
J'avais des papillons dans le ventre.
— Pour moi? C'est vraiment pour moi?

ai-je dit avec une voix très haute.

Je lui ai pris la carte des mains. Je me suis mise à courir partout dans le bureau.

— Youpi! C'est pour moi! Pour de vrai! Maintenant, je ne suis plus la seule!

J'ai couru autour de la grosse chaise de bois.

Le directeur me regardait comme s'il avait un peu peur de moi.

Il s'est dépêché d'aller ouvrir la porte.

Et je suis sortie en courant!

Je ne me suis pas arrêtée avant d'arriver à la classe numéro neuf.

# 8/ Un samedi gâché

Le samedi matin, maman est venue me réveiller.

— Nous allons au magasin acheter un cadeau pour Jim, a-t-elle dit.

J'ai fait un bâillement endormi.

— Oui, mais je n'aime pas vraiment ce garçon, ai-je dit. Alors, tu peux y aller toute seule. Je te fais confiance.

J'ai mis les couvertures sur ma tête.

Maman les a enlevées.

Elle m'a obligée à m'habiller.

Après, elle m'a obligée à manger une banane.

Puis elle m'a obligée à aller au magasin avec elle.

Elle me tenait par la main et me tirait.

— Comme nous ne savons pas ce qu'il a déjà, achetons-lui quelque chose d'original, a-t-elle dit.

— On pourrait lui acheter des tripes de marmotte puantes. Ce serait original, ai-je dit.

Maman a fait un visage dégoûté.

Elle m'a tirée à travers le magasin.

On est passées devant les choses pour la salle de bain.

J'ai montré un objet avec mon doigt.

— Ça! On pourrait lui acheter ça! ai-je dit. C'est original.

Maman a rentré ses joues.

— Non, nous ne lui achèterons pas une

brosse pour laver la toilette, a-t-elle dit.

Elle m'a tirée devant les choses pour les animaux.

— Ça! On pourrait lui acheter ça! ai-je dit. C'est original.

Maman a dit :

— Non, pas de collier étrangleur.

Après, elle m'a tirée devant les outils.

C'est là que mes yeux sont sortis de ma tête!

— ÇA! REGARDE, MAMAN! ON VA LUI ACHETER ÇA! J'ADORE ÇA!

J'ai couru vers l'étagère.

— C'EST UNE CEINTURE À OUTILS, TU VOIS? COMME CELLE DE PAPI MILLER! SAUF QUE C'EST FAIT POUR LES PETITS ENFANTS COMME MOI! TU VOIS, MAMAN? AS-TU VU CE MERVEILLEUX CADEAU?

Maman a pris la ceinture sur l'étagère.

— Regarde! ai-je dit. Il y a un marteau. Un tournevis. Des pinces. Et une lampe de poche! Et même un vrai niveau avec une bulle dedans! En plus, il y a une poche pour les clous sur le devant.

Je sautais partout.

— Est-ce que je peux l'essayer? S'il te plaît? Dis oui, dis oui!

Maman a secoué la tête pour dire non.

— Nous n'achetons pas de cadeau pour toi aujourd'hui, Junie B., a-t-elle dit. Nous achetons un cadeau pour Jim, tu te souviens?

— Je le sais. Je sais que c'est pour Jim, ai-je dit. Justement, ça pourrait être son cadeau. Sauf qu'il faut que je l'essaie pour voir si ça me va. Parce que Jim et moi, on a la même taille, je pense!

Finalement, maman a attaché la ceinture autour de mon ventre.

— Ooooh! Il y a du velcro! ai-je dit.
J'adore ce truc collant. Est-ce qu'on peut
l'acheter? S'il te plaît, maman? Est-ce qu'on
peut l'acheter et l'apporter chez nous?

Maman a réfléchi un moment.

— Je ne sais pas, Junie B. Quelque chose
me dit que ce n'est pas une bonne idée. J'ai
peur que tu veuilles la garder.

— Non, je ne voudrai pas la garder! C'est
promis, maman! C'est promis, promis!

Finalement, maman a dit oui. Et elle a
acheté la super ceinture à outils.

Je l'ai gardée sur mes genoux dans l'auto
jusque chez nous.

Je suis entrée dans la maison en courant.
J'ai couru jusqu'à ma chambre. Et j'ai mis la
ceinture.

— Maintenant, je peux réparer plein de
choses, ai-je dit, toute contente.

J'ai pris le marteau et j'ai tapé sur le mur.

Puis j'ai vissé une vis avec le tournevis.

Après, j'ai enlevé le nez de mon nounours avec les pinces. Sauf que je ne voulais pas vraiment faire ça.

J'ai tapoté la tête de mon nounours.

— Respire par la bouche, lui ai-je dit.

Tout à coup, j'ai entendu la voix de maman.

— JUNIE B. C'EST L'HEURE DE PRENDRE TON BAIN, MA CHOUETTE!

J'ai fait une grimace.

Je pense que maman était un peu perdue.

Je lui ai crié :

— OUI, MAIS JE N'AI PAS BESOIN DE PRENDRE UN BAIN, AUJOURD'HUI. PARCE QUE C'EST SAMEDI, ET SAMEDI, C'EST LA JOURNÉE PAS DE BAIN!

Maman est venue dans ma chambre.

— Je sais que c'est samedi, Junie B., a-t-elle dit. Mais tu vas à une fête, aujourd'hui. Et quand tu vas à une fête, tu dois prendre un bain. En plus, je vais laver tes cheveux et les friser.

J'ai reculé.

— Non, ai-je dit. Parce que personne ne m'a expliqué ça avant. En plus, ça n'a pas de sens. Parce que je le déteste, ce méchant garçon. Alors, pourquoi je devrais être propre pour lui?

Maman avait l'air très fatiguée.

— Quand on va à une fête, on prend un bain. Point final. Fin de la discussion, a-t-elle dit.

Elle est sortie de ma chambre et elle est allée remplir la baignoire.

Je me suis assise sur mon lit, très découragée.

— Zut! ai-je dit. Jim-la-peste est en train de gâcher tout mon samedi.

Maman a encore crié :

— JUNIE B.? PEUX-TU M'APPORTER LA CEINTURE À OUTILS, S'IL TE PLAÎT? JE VAIS L'EMBALLER!

— Zut! ai-je répété.

Parce que je ne veux même pas la lui donner, cette ceinture.

Je l'ai regardée.

J'ai touché tous les beaux outils.

— J'adore cette ceinture, ai-je dit, toute triste.

— J'ATTENDS! a crié maman.

Mais je ne voulais pas lui apporter la ceinture.

Puis j'ai entendu l'eau du bain s'arrêter de couler.

Mon cœur a commencé à battre fort.

— Oh non! ai-je dit. Elle va venir me chercher. Et elle va m'enlever la ceinture. Elle va l'emballer pour ce méchant Jim-la-peste!

Je me suis levée et j'ai couru partout dans ma chambre.

— Il faut que je me cache!

J'ai cherché une cachette.

— Zut! ai-je dit. Il n'y a même pas de bonne cachette dans cette stupide de chambre!

— JUNIE B.! a crié maman.

J'ai entendu ses pieds!

Ils venaient me chercher!

— Oh non! ai-je dit. Oh non!

Alors j'ai attrapé ma belle ceinture à outils très vite.

J'ai couru jusqu'à la porte de ma chambre.

Et j'ai cloué la porte avec mon marteau!

# 9/ La seule de la classe numéro neuf

Maman est entrée dans ma chambre à toute vitesse.

Elle a poussé la porte que je venais de clouer.

— JUNIE B. JONES! QU'EST-CE QUE TU FAIS? a-t-elle crié.

Elle a regardé la porte.

Ses yeux sont sortis de sa tête.

— TU L'AS CLOUÉE! a-t-elle crié. TU AS CLOUÉ TA PORTE?

Papa est entré en courant, lui aussi.

— MAIS OÙ DIABLE AS-TU TROUVÉ UN MARTEAU? a-t-il crié.

— Dis-lui, Junie B.! Dis à ton père où tu as trouvé le marteau, a grogné maman.

J'ai montré maman avec mon doigt.

— C'est elle qui me l'a donné, ai-je dit.

De la vapeur est sortie de la tête de maman.

— NON! JE NE T'AI PAS DONNÉ CE MARTEAU, JUNIE B.! CE MARTEAU ÉTAIT POUR JIM! ET TU LE SAIS TRÈS BIEN!

Après, maman m'a soulevée et m'a mise sur le lit. Et elle m'a dit d'autres mots méchants.

Elle a dit que ce n'était pas prudent de me laisser avoir un vrai marteau. Et qu'elle ne me laisserait jamais avoir une vraie ceinture à outils. Et que je n'aurais pas la permission d'utiliser des clous avant d'être une adulte et de vivre dans mon propre appartement.

Papa marchait d'un côté et de l'autre devant moi.

— Pourquoi, Junie B.? Pourquoi as-tu fait une chose pareille? Pourquoi voulais-tu clouer ta porte?

J'ai commencé à pleurer un petit peu.

— Parce que, ai-je dit.

— Parce que quoi? a-t-il grogné.

— Parce que j'ai senti quelque chose qui me poussait en dedans, ai-je dit. Parce que cette fête gâche tout mon samedi. D'abord, j'ai été obligée d'aller au magasin. Puis maman a dit que je devais prendre un bain et laver mes cheveux. Mais moi, je n'aime même pas ce méchant garçon-là. Pourquoi je dois être propre et lui donner la belle ceinture à outils? Je ne trouve pas ça juste.

Maman a fait un soupir fâché.

— C'était ta décision, Junie B., a-t-elle dit. C'était toi qui voulais aller à cette fête. Personne ne t'obligeait.

J'ai essuyé mon nez avec la manche de mon chandail.

— Oui, parce que si je ne vais pas à la fête, je serai la seule de la classe numéro neuf à ne pas y aller, ai-je dit. Et ça, c'est l'histoire la plus triste que j'aie jamais entendue.

Papa s'est assis à côté de moi.

— Pourquoi? a-t-il demandé. Pourquoi ce serait triste de passer ton samedi comme tu le préfères? Pourquoi ce serait triste de t'amuser toute la journée, au lieu de gaspiller ton samedi pour un garçon que tu n'aimes pas?

Maman s'est assise, elle aussi.

— D'après moi, ce n'est pas triste, a-t-elle dit. Je pense même que c'est bien.

— Non, ce n'est pas bien, ai-je dit d'une voix fâchée. Qu'est-ce qu'il y a de bien à être la seule?

Papa a levé ses épaules et les a descendues.

— Plein de choses, a dit papa. D'abord, tu serais la seule qui ne serait pas obligée de prendre un bain. Avais-tu pensé à ça?

— Et tu serais la seule qui ne serait pas obligée de se laver les cheveux, a ajouté maman.

— Et, a dit papa, tu serais la seule de la classe numéro neuf qui n'achèterait pas de cadeau pour Jim. Que dis-tu de celle-là?

Je me suis relevée toute droite.

Parce que celle-là, je la trouvais très bien, c'est pour ça.

Maman m'a *éroubiffé* les cheveux.

— Et n'oublie pas papi Miller! a-t-elle dit. Tu te souviens qu'il t'a invitée chez lui aujourd'hui?

Ma bouche s'est ouverte complètement.

J'avais oublié, c'est pour ça!

— La toilette! ai-je dit. J'avais oublié la toilette! Parce que moi et papi, on va réparer la toilette du deuxième étage! Et on va toucher à la grosse boule qui flotte sur le dessus!

Maman a fait une grimace.

— Merveilleux, a-t-elle dit.

— Je le sais que c'est merveilleux! ai-je dit. Alors, il faut que j'aille là-bas tout de suite. Sinon, c'est mamie qui va y toucher, et pas moi.

Maman m'a regardée avec un drôle d'air.

Et papa est allé chercher ses clés.


Maman et papa m'ont obligée à rapporter la ceinture au magasin.

Ils m'ont obligée à la redonner au monsieur.

— Tenez, ai-je dit. On ne peut pas me faire confiance avec cette super ceinture.

Le monsieur m'a fait un sourire triste.

— Désolé, petite, a-t-il dit.

— Ce n'est pas grave, ai-je dit. Parce que les clous ne marchent pas très bien, de toute façon.

Il m'a redonné mon argent.

— Peut-être quand tu seras plus grande, a-t-il dit.

— Peut-être, ai-je dit. Et je m'achèterai aussi une brosse pour la toilette.


Après le magasin, je suis allée chez papi Miller.

Il travaillait dans le jardin.

J'ai couru vers lui le plus vite que je pouvais.

— PAPI MILLER! HÉ, PAPI MILLER! L'AS-TU DÉJÀ RÉPARÉE? AS-TU DÉJÀ

## RÉPARÉ LA TOILETTE?
Il m'a fait tourner dans les airs.

— Non, Junie B.! a-t-il répondu. Pas encore! Je t'attendais!

Alors, on a pris nos outils. On est montés en haut.

Et on a enlevé le couvercle du réservoir de la toilette!

Puis j'ai tiré la chasse d'eau. Et j'ai touché à la grosse boule!

— C'est amusant, hein, papi? Hein? On s'amuse vraiment comme des fous, hein? ai-je demandé.

— Comme des fous! a dit papi Miller.

J'ai ri, toute contente.

— Hé, papi! Tu sais quoi? Je suis la seule!

Il m'a regardée sans avoir l'air de comprendre.

— Je suis la seule de la classe numéro neuf qui répare une toilette!

Papi a ri, lui aussi.

— Tu es vraiment incroyable, tu sais! a-t-il dit.

— Toi aussi, tu es vraiment incroyable,
ai-je dit.

Puis je l'ai serré très fort.

Je me suis assise sur ses genoux.

Et je lui ai dit un secret dans l'oreille.

— Tu sais quoi? ai-je chuchoté. J'aimerais
quand même ça avoir des grands chevaux.